Gracias a Stephen Cole

Para Jamie Morgan

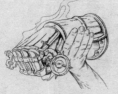

Originally published in English as *Beast Quest: Ferno, the Fire Dragon*

Translated by Macarena Salas

ISBN 13: 978-0-545-09803-8
ISBN 10: 0-545-09803-3

12 11 10 9 8 7 6 5 4   13/0

Printed in the U.S.A.

First Scholastic Spanish printing, September 2008

FERNO
EL DRAGÓN DE FUEGO

ADAM BLADE

SCHOLASTIC INC.

New York Toronto London Auckland Sydney
Mexico City New Delhi Hong Kong Buenos Aires

*B*ienvenido a Avantia. Yo soy Aduro, un brujo bueno, y vivo en el palacio del rey Hugo. Te unes a nosotros en momentos difíciles. Déjame que te explique...

Dicen las Antiguas Escrituras que, un día, el pacífico reino de Avantia se verá amenazado.

Ese día ya ha llegado.

Bajo el maleficio de Malvel, el Brujo Oscuro, seis Fieras —el Dragón de fuego, la Serpiente marina, el Gigante de la montaña, el Hombre caballo, el Monstruo de las nieves y el Pájaro en llamas— se han vuelto malvadas y pretenden destruir la tierra que antes protegían.

El reino corre un gran peligro.

Las Antiguas Escrituras también predicen que aparecerá un héroe inesperado. Está escrito que un muchacho emprenderá la Búsqueda para liberar a las Fieras y salvar el reino.

No sabemos de dónde surgirá este joven, pero sabemos que ha llegado el momento.

Rezamos para que este muchacho tenga el coraje y la osadía suficientes para llevar a cabo esta misión. ¿Quieres unirte a nosotros y ver lo que sucede?

Avantia te saluda.

Aduro

Caldor *el Valiente* se encontraba al pie de la montaña. Su armadura de bronce brillaba bajo la pálida luz de la mañana...

—El dragón está cerca. Lo percibo. —El caballero alzó su espada, señalando la niebla que cubría la cima de la montaña—. Por el bien de nuestro reino, ¡hay que detenerlo!

—Buena suerte, señor —le deseó Edward, su paje.

Caldor posó la mano de armazón en el hombro del chico. Ambos sabían que quizá no volverían a verse nunca más.

El caballero se disponía a ascender por la ladera oscura y suave de la montaña. Los pies le resbalaban en la roca, pero el caballero no tenía intención de desistir y, lentamente, comenzó el ascenso. Pronto desapareció entre la misteriosa niebla.

Reinaba un silencio inquietante.

Edward tiritó.

De pronto, la montaña empezó a temblar.

Edward notó que las vibraciones le entraban por los pies y le subían por las piernas. Una enorme roca cayó rozándolo; Edward tropezó y dio con la mejilla contra el suelo. Sintió un sabor metálico en la boca y se tocó los labios. ¡Sangre! ¿Qué estaba pasando?

—¡Caldor! —gritó Edward, intentando mantenerse sobre las rocas, que no paraban de moverse bajo él—. ¡Vuelva! —Pero era imposible que lo oyera.

Toda la montaña retumbó. ¿Estaría a punto de venirse abajo?

El corazón de Edward empezó a latir presa del pánico. Todavía en el suelo, Edward miró hacia arriba y vio que dos inmensas rocas salientes empezaban a moverse. Se desplazaron lentamente, reflejando la luz del sol en sus cantos afilados. Edward dio un respingo.

La niebla se disipaba, y vio por un instante a Caldor allí arriba, agarrado a uno de los oscuros salientes de la montaña. Justo detrás del caballero apareció el destello de un ojo y unas gruesas escamas. ¡Era la cabeza puntiaguda de una dragón enorme!

De pronto, todo cobró sentido. Un sentido horroroso. El dragón no estaba cerca de la montaña. ¡El dragón era la mon-

taña! Mirando hacia abajo con miedo, Edward confirmó que estaba encima de la cola del dragón, ¡y Caldor apenas se podía sujetar a la espalda del animal!

—¡Vuelva, Caldor! —repitió Edward. Pero un rugido aterrador ahogó sus palabras. Las alas del dragón se abrían y empezaban a agitarse en un ritmo letal—. ¡Va a salir volando! —gritó—. ¡Caldor, rápido...!

—¡Vete! —gritó Caldor—. Ve a la ciudad. Avisa al rey Hugo. ¡Corre!

Edward no tuvo tiempo de correr. El dragón sacudió la cola y lo mandó volando por los aires. El muchacho aterrizó en el suelo con un fuerte golpe y se quedó ahí, temblando e intentando recuperar la respiración, mientras la terrible fiera alzaba el vuelo. Los gritos de Caldor resonaron en la cabeza de Edward durante un rato.

Edward intentó ponerse de pie e ir tras su amo, pero el dragón ya estaba muy alto. La fiera rugió y una estela naranja iluminó el cielo. Un trozo de armadura chamuscada y humeante cayó justo al lado de Edward. Prendida entre los dedos de la armadura había una llave de oro.

El eco de los gritos de Caldor quedó suspendido en el aire. Después, silencio. El caballero había desaparecido; y su misión de liberar al dragón del maleficio de Malvel, fracasado.

CAPÍTULO 1

UN INCENDIO MISTERIOSO

Tom observó a su enemigo con dureza.

—¡Ríndete, villano! —gritó—. ¡Ríndete o probarás el filo de mi espada! —La espada sólo era un atizador de la lumbre, y su enemigo era un saco de heno—. Esto es para que te enteres. Un día seré el mejor espadachín de todo el reino de Avantia. ¡Incluso mejor que mi padre, Taladón *el Rápido*!

Tom sintió el mismo pinchazo en el corazón que sentía al acordarse de su padre. Sus tíos, que lo habían criado desde que era un bebé, nunca hablaban de él ni del porqué dejó a Tom a su cargo cuando su madre falleció.

Tom volvió a clavar el atizador en el saco.

—Algún día sabré la verdad —se prometió.

Al volver hacia la aldea, un fuerte olor le llegó hasta el fondo de la garganta.

«¡Humo!», pensó. Se detuvo y miró a su alrededor. Oyó un débil crujido hacia la izquierda y, justo en ese momento, una cálida brisa le dio en la cara.

¡Fuego!

Tom se abrió camino entre los árboles. Salió a campo abierto. El campo de trigo dorado se había chamuscado y ya sólo quedaban unos rastrojos negros. Una fina capa de humo estaba suspendida en el aire. A los lados del sembrado todavía quedaban unas pequeñas llamas flameantes. Tom miró horrorizado. ¿Cómo había sucedido esto?

Tom miró hacia arriba y pestañeó. Por un segundo le pareció haber visto una sombra oscura, moviéndose entre las colinas que había a lo lejos. Pero después, el cielo volvió a estar vacío.

—¿Quién anda ahí? —dijo alguien con voz de pocos amigos. Entre el humo, Tom vio la figura de un hombre que atravesaba el campo corriendo—. ¿Vienes del bosque? —preguntó—. ¿Has visto a alguien que pudiera haber hecho esto?

Tom movió la cabeza.

—¡Ni una alma!

—Esto lo ha hecho alguien muy malvado —dijo el granjero con una expresión de furia en los ojos—. Ve y cuéntale a tu tío lo que ha pasado aquí. Ha caído una maldición sobre la aldea de Errinel, ¡y quizá también sobre todos nosotros!

Tom corrió cuanto pudo, tropezando con las raíces de los árboles quemados.

La plaza estaba abarrotada de aldeanos. ¿Qué hacían allí? No era día de mercado. Los aldeanos gritaban todos a la vez, sacudiendo los brazos y dirigiéndose al tío de Tom, que estaba de pie sobre un banco.

—¡Fuego en los campos! ¿Qué pasará la próxima vez? —gritó un hombre.

—¡Los problemas son cada día más grandes! —dijo otro.

—¡Las Fieras se han vuelto malvadas!

Tom conocía la historia que contaban sobre las seis Fieras que protegían Avantia, el Dragón de fuego incluido, pero nadie podía asegurar que fuera cierto.

—¿Habéis visto el río? —preguntó una mujer—. Está tan bajo que pronto nos quedaremos sin agua para beber.

—Nos ha caído encima una maldición —se lamentó un anciano.

—Yo no creo en maldiciones —dijo tío Henry con firmeza—, pero está claro que nuestro pueblo necesita ayuda. Alguien tiene que ir a ver al Rey y pedirle ayuda.

Tom dio un paso adelante.

—Yo iré al palacio.

Los aldeanos se rieron de él.

—¿Enviar a un niño a tal aventura? ¡Ja!

—El Rey se reiría de nosotros si te enviáramos.

Tío Henry habló pausadamente.

—No, Tom. Eres demasiado joven para emprender un viaje así por tu cuenta. Yo iré, como representante del pueblo.

De pronto, un niño andrajoso y manchado de hollín se abrió paso entre la multitud.

—¡Socorro! —jadeó—. ¡Ayuda, por favor! ¡Nuestro pajar se está quemando!

—Reunid a veinte hombres e id a coger agua del río —ordenó tío Henry—. El resto podéis llevar azadas. Si no podemos apagar el fuego lo enterraremos con barro. ¡Rápido!

Tom miró a su tío mientras la gente se disponía a seguir sus órdenes.

—Esta gente te necesita aquí, como

su líder, tío Henry —dijo—. Deja que vaya yo.

Tío Henry se volvió hacia él, muy serio.

—Tarde o temprano tenía que dejar que salieras al mundo —dijo, con la mirada perdida—. Quizá sea tu destino... —Volvió a mirar a su sobrino—. Sí, debes ir a ver al Rey. No hay tiempo que perder, ¡debes salir mañana a primera hora!

CAPÍTULO 2

UN VIAJE A LA CIUDAD

Tom comenzó su viaje antes del amanecer y, a medida que el sol salía, observó que Errinel no era el único sitio que estaba en peligro. Durante su viaje, atravesó cosechas y praderas ennegrecidas y muertas. Zanjas secas trazaban el lugar por donde una vez fluyeron arroyos.

Continuó su camino sin descanso, ignorando el cansancio que sentía en los músculos y el dolor de pies. A medida que se acercaba a las altas murallas de la ciudad, se fue encontrando con más gente en el camino polvoriento. Algunos hombres iban a caballo. Familias enteras caminaban con burros cargados hasta las orejas. Tom los oía murmurar entre ellos. Parecían estar huyendo del hambre y del peligro y, al igual que Tom, iban al palacio a pedir ayuda. Tom aligeró la marcha.

Las inmensas puertas de la ciudad aparecieron ante él, abiertas de par en par. Al atravesarlas, Tom sintió que le volvía la energía. ¡Por fin había llegado!

Se abrió camino entre las estrechas y abarrotadas callejuelas. Tenía una misión: llegar al palacio lo antes posible. El palacio se podía ver en medio de la ciudad. Se erguía majestuosamente sobre los otros edificios con sus cúspides moradas y sus cúpulas de cristal verde azulado. ¡Tom nunca había visto nada igual!

Se dirigió al palacio, pero cuando llegó al patio delantero, vio que el camino estaba bloqueado. Había una cola muy larga de gente que casi no avanzaba.

—¿Has venido a ver al secretario del Rey? —le preguntó un soldado.

—No, vengo a ver al Rey —respondió.

El soldado se rió.

—Primero tendrás que ver al secretario del Rey. De él depende que veas al Rey. Ponte en la cola. Tienes para un buen rato.

—Pero ¡es que no puedo esperar! Mi aldea necesita ayuda... ¡rápido!

—Todos necesitamos ayuda —contestó un hombre enjuto con una barba que le llegaba hasta las rodillas—. En el oeste hemos sido castigados por un oleaje terrible. Tenemos que construir barreras para protegernos del mar, ¡pero no podemos hacerlo sin la ayuda del Rey!

—En el norte hemos tenido unas tormentas espantosas —explicó una anciana—. ¡Todo el reino está en peligro! Y no olviden lo que les voy a decir: esto lo han hecho las Fieras.

—¿Las Fieras? —respondió el hombre enjuto—. ¡Estás bromeando!

—Si nadie cree en las Fieras, ¿cómo las van a detener? —dijo la anciana mirándolo furiosa—. Algo ha ocurrido que las ha puesto en nuestra contra. Sí, algo malvado ha transformado a las Fieras...

—¿Qué quiere decir? —preguntó Tom.

Pero la anciana le dio la espalda y se fue.

Tom empezó a pensar en la extraña

sombra que había visto en las colinas de Errinel. ¿Podría haber sido la sombra de una Fiera? ¿Del Dragón de fuego? Tom miró la larga cola que había delante de él y tomó una decisión. Había ido allí a pedir ayuda al Rey y eso era exactamente lo que iba a hacer, aunque eso implicara colarse en el palacio. «Mientras corra sangre por mis venas, voy a intentar salvar mi aldea», se prometió. Se abrió paso entre la multitud y salió del patio.

Al caer la noche, Tom empezó a rodear el palacio.

—Todo lo que necesito es una ventana abierta —murmuró para sus adentros—. O una puerta que no esté cerrada con llave.

Pero había guardias por toda la muralla. Cuando Tom se arrastró hasta la

27

entrada este, vio que estaba protegida
por dos hombres fornidos con unifor-
mes marrones.

De pronto, oyó el sonido de unos pasos que se acercaban corriendo justo
por detrás de él. Un muchacho vesti-
do con andrajos salió de la oscuridad y
avanzó hacia el palacio.

—¡Abran las puertas! —gritó el muchacho. Debía de tener la edad de Tom

y estaba completamente cubierto de barro. Llevaba un trozo de armadura en una mano y un pergamino en la otra—. Traigo un mensaje de Sir Caldor. ¡Tengo que ver al Rey!

Los guardias abrieron las puertas, dejándolas así, y se apresuraron a ayudar al muchacho.

«¡Ahora o nunca!», pensó Tom.

CAPÍTULO 3

LA CORTE DEL REY

Salió disparado y atravesó las puertas mientras los guardas estaban de espaldas. Se quedó escondido entre las sombras y, pegado a las paredes, exploró el patio. Un delicioso aroma a carne asada y verduras llegaba hasta él desde una puerta que estaba entreabierta. El olor hizo que le sonaran las tripas muy alto.

—Por aquí deben de estar las cocinas

de palacio —se dijo a sí mismo—. Si consigo entrar, puede que encuentre la manera de llegar hasta el rey Hugo.

En cuanto atravesó la pesada puerta, lo golpeó un calor tan intenso que le recordó la forja de su tío. Unos calderos de hierro enormes descansaban sobre los fogones. Las sirvientas iban de un lado a otro, removiendo los asados humeantes o sirviendo la comida en vajilla de plata.

Una mujer rolliza se acercó hasta él.

—¡Ah, por fin! —exclamó—. Tú debes de ser el nuevo ayudante de cocina.

—¿Qué? Ah, sí, así es —asintió rápidamente Tom.

—Yo soy Cocinas —añadió la mujer—. ¡Gracias a Dios que has llegado! Dos de las chicas que sirven están enfermas, y la cena del Rey está casi lista. Tienes que ayudar a servirle la poca comida que nos queda.

Tom no podía creer que la escasez de alimentos también afectara al palacio. La situación era peor de lo que se había imaginado.

Tom siguió a Cocinas hasta donde estaban los platos de comida, listos para ser servidos. Uno de los sirvientes le dio una lección rápida sobre cómo mantener la bandeja sobre la mano, en alto, por encima de la cabeza, y condujo a Tom y los otros sirvientes al comedor real.

A Tom le latía el corazón cada vez más rápido. Allí estaba el mismísimo rey Hugo, sentado en una mesa grande iluminada con velas altas. Con su pelo negro y sus ojos marrones, parecía más joven de lo que Tom se había imaginado. Llevaba un manto de terciopelo verde y estaba rodeado de ceñudos lores y damas.

Tom cuadró los hombros y se dirigió con su bandeja hasta el final de la mesa.

«Tengo que hablar con el Rey —se dijo—. Errinel confía en mí».

Sentado junto al Rey había un anciano de baja estatura y barba fina. Vestía una gastada túnica de seda azul y roja y un sombrero en punta. Bajo la luz de la vela, los ojos grises del viejo parecían brillar tanto como la joya que colgaba de la cadena que llevaba en el cuello.

«Creía que sólo los brujos se vestían así», pensó Tom.

—Bueno, los mensajeros estarían ridículos vestidos con estas ropas, ¿no crees? —le dijo el viejo con una sonrisa.

—¡Me ha leído el pensamiento! —exclamó Tom.

—Eso es porque soy un brujo. El brujo Aduro —murmuró el viejo observándolo de cerca—. Pero lo que yo me pregunto es... ¿quién eres tú?

A Tom no le dio tiempo a contestar. Las puertas del comedor se abrieron de

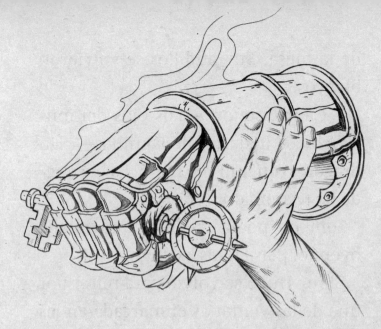

par en par. El muchacho andrajoso que Tom había visto en las puertas del palacio entró en el comedor. Dos guardas lo seguían de cerca.

—Perdóneme, señor —lloraba el muchacho. Cayó de rodillas frente al Rey y mostró el trozo de armadura—. Soy Edward, el paje de Caldor *el Valiente*. Mi señor está muerto.

—¡Muerto! —repitió el Rey como un eco, poniéndose de pie. Se inclinó hacia adelante, apoyándose en el margen de la mesa. Sus nudillos se volvieron blancos.

—Cierto, señor. —Los ojos del muchacho se llenaron de lágrimas—. Un dragón lo quemó y lo mató. La búsqueda ha terminado.

Tom no podía creer lo que estaba oyendo. ¡Las Fieras existían!

El rey Hugo se volvió para mirar por una de las ventanas enmarcada en las gruesas paredes del palacio. A través de ella, Tom vio la ciudad extenderse en la noche, con sus luces tintineantes.

—Mi caballero más valiente ha perecido —gritó el monarca desesperado—. ¡No hay duda de que sobre nuestro reino ha caído una maldición!

El brujo Aduro se situó en medio de la sala. Estaba serio, pero calmado.

—El Consejo Real tiene asuntos urgentes que discutir —dijo—. Agradecería a todos los sirvientes que se retiraran.

Dos guardias escoltaron a todo el mundo fuera del comedor. Los sirvientes no dejaban de murmurar. «¡Yo no me muevo!», pensó Tom; era su oportunidad para saber qué estaba pasando.

—¡Dense prisa! —ordenaban los guardias empujando a los últimos sirvientes justo al lado de Tom.

Estudiando la situación con rapidez, Tom decidió esconderse detrás de una columna ancha que había cerca del trono real. Apretó la mejilla contra la fría piedra. El corazón le latía con tanta fuerza que estaba convencido de que alguien lo oiría.

—¡Maldito Brujo Malvel! —gritó uno de los lores—. ¡Debemos romper el maldito maleficio que ha echado a las Fieras antes de que *Ferno*, el Dragón de fuego, nos destruya a todos!

¡Un maleficio! A Tom se le escapó un

suspiro, aunque intentó acallarlo tapándose la boca.

Edward, el paje, se dio la vuelta.

—¿Quién anda ahí entre las sombras?

—¡Un espía! —exclamó el rey Hugo.

—Por favor, déjenme que les explique —suplicó Tom. Dos guardias se abalanzaron hacia él, pero Tom consiguió esquivarlos. Un tercer guardia se lanzó a sus piernas, pero Tom saltó por encima de él—. ¡Sólo estoy aquí porque quiero salvar vidas!

Los guardias lo agarraron por los brazos.

—¡Basta! —tronó el brujo Aduro, y todo el mundo se quedó parado.

—Lleváoslo a las mazmorras —ordenó el rey Hugo, acercándose a Tom. Lo miró de hito en hito. Tom nunca había mirado a un rey a los ojos. Bajó la cabeza—. ¡Fuera de mi vista! —exclamó el Rey—. Lleváoslo fuera de mi vista.

Aduro se puso junto al Rey.

—Este muchacho está aquí por una buena razón. Lo percibo.

Los guardias se detuvieron.

—¿Estás seguro? —preguntó el rey Hugo, tras una larga pausa.

—¿No ves la semblanza? —respondió Aduro señalando al chico.

El rey Hugo miró fijamente a Tom y sacudió la cabeza.

Tom parpadeó. ¿La semblanza? ¿De qué estaba hablando Aduro?

Una vez más, el brujo pareció leerle el pensamiento.

—Ahora verás —le dijo, sus ojos puestos en los de Tom.

De pronto, Tom vio una pequeña llama, que adquirió un tono violeta y apareció en la palma de la mano de Aduro. El rey Hugo miró a Tom a través de la llama mágica, y abrió los ojos.

—¡No puede ser! Pero si... ¡es el hijo de Taladón!

CAPÍTULO 4

LA MISIÓN

—¡Taladón! —repitió Tom sorprendido—. ¿Conoció a mi padre, Su Majestad?

—Sí, lo conocí —dijo el Rey, sonriendo—. Uno de los hombres más valientes que he conocido nunca.

Al fin, ¡una pista sobre su padre! Tom notó cómo las lágrimas se le agolpaban en los ojos.

El Rey había visto lo que Tom nunca

fue capaz de imaginar: la cara de su padre.

—¿Sabe dónde se encuentra mi padre? —preguntó Tom, esperando no parecer maleducado.

El rey Hugo y Aduro se miraron. Los lores y damas del Consejo Real escuchaban atentos, inclinados hacia adelante en la mesa.

El Rey sacudió la mano en el aire.

—Lo conocí hace mucho tiempo... —dijo, levantando la barbilla de Tom para inspeccionarlo mejor—. ¿Cómo te llamas, muchacho?

—Tom —contestó el brujo por él—. Su Majestad, debo hablar con usted y con Tom a solas.

El rey Hugo hizo un gesto con la cabeza hacia los miembros del Consejo.

—Se pueden retirar. Por favor, traten a Edward como su invitado de honor.

Edward hizo una reverencia y se unió

a los lores y damas que salían de la sala. En cuanto se cerró la puerta, el brujo llevó al Rey a un lado. Tom intentó oír la conversación, pero sólo oía susurros.

Al final, el rey Hugo llamó a Tom. El muchacho se acercó, nervioso. ¿Qué le diría el Rey? ¿Lo enviaría a algún sitio?

—Tom, nuestra tierra corre un grave peligro —dijo el Rey—. El Brujo Oscuro Malvel ha cazado a las Fieras ancestrales y las ha sometido a su poder. Las Fieras han vigilado y protegido Avantia del peligro desde que llegaron sus primeros habitantes —prosiguió el rey Hugo, yendo arriba y abajo del salón—. *Ferno*, el Dragón de fuego, protege el sur de Avantia. Cuida de que nunca falte agua. Y cada una de las demás Fieras también tiene su deber. Pero ahora se han vuelto en nuestra contra y están sembrando el terror y la destrucción en nombre de Malvel. Hasta mis caballeros más valientes son incapaces de detenerlas.

—¿Quién es Malvel? —preguntó Tom.

—Hubo un tiempo que era un buen hombre y tenía una buena vida —contestó el rey Hugo—. Pero su felicidad no duró mucho... Fue víctima de una horrible enfermedad llamada envidia.

—Envidiaba al Señor de las Fieras y la conexión especial que tenía con ellas —dijo Aduro, continuando la historia—. Así que buscó el conocimiento prohibido, la sabiduría y el poder que provienen del Origen de las Fieras.

Tom sintió la boca seca.

—¿Y encontró ese conocimiento?

—Sí. El poder que adquirió lo volvió malvado y le dio fuerza para romper la unión mágica creada entre el Señor de las Fieras y las criaturas. El Señor de las Fieras es prisionero de Malvel, y éste controla a las Fieras.

—¿Qué podemos hacer? —preguntó Tom.

—La magia de Malvel es muy fuerte —dijo Aduro—. Nuestra única esperanza es encontrar a alguien capaz de liberar a las Fieras y devolverles la bondad para que sigan protegiendo nuestro reino, en vez de destruirlo. Pero —advirtió— no podemos dejar que los habitantes de Avantia sepan que existen. Estas criaturas sólo nos protegerán si las dejamos tranquilas. Por eso siempre hemos negado su existencia.

—Los poderes malvados de Malvel hacen que las Fieras sean prácticamente imparables —continuó el Rey—. *Ferno* está quemando nuestras cosechas y obstruyendo los ríos. Y las otras Fieras, la Serpiente marina, el Gigante de la montaña, el Hombre caballo, el Monstruo de las nieves y el Pájaro en llamas están causando inundaciones, avalanchas y caos por toda Avantia. Van a destrozar nuestro reino, a no ser que las liberemos del conjuro de Malvel. Ésta es la razón por la que envié a Caldor a quitarle al dragón el collar que Malvel había usado para embrujarlo. —Le dio una gran llave de oro a Tom—. Esto es lo único que puede abrir el candado.

Tom giró lentamente la llave en la palma de la mano. A pesar de su tamaño, pesaba muy poco. Era la llave que había visto en la armadura de Caldor. Volvió a mirar al Rey, interrogante.

—La llave la fabricó Aduro, pero debe usarla un guerrero —murmuró el Rey—. Tu padre me sirvió una vez, ahora te pido que tú hagas lo mismo. La magia de Aduro me ha mostrado la fuerza y la bondad que hay dentro de ti. Está claro que puedes equipararte a cualquier caballero de mi reino. —Sonrió—. El destino te ha enviado aquí, Tom.

Un escalofrío de emoción recorrió la espalda del muchacho.

El Rey se inclinó hacia adelante.

—¿Arriesgarás tu vida por la Búsqueda de las Fieras?

—Sí, lo haré —dijo Tom sin dudarlo. Nunca en su vida había estado tan seguro de algo—. Lo haré, cueste lo que cueste.

CAPÍTULO 5

TORMENTA

A la mañana siguiente, Tom se levantó muy temprano. ¿Dónde estaba? Empezó a observar las grandes ventanas de piedra y los cuadros de la pared que había a su alrededor, y de repente lo recordó todo. ¡Estaba en el cuarto de invitados del palacio del rey! Saltó de la cama emocionado. Le habían dejado ropas nuevas y una cota de malla encima de un baúl de madera que estaba cerca de la puerta.

Se puso unos pantalones oscuros y un jersey de lana de manga larga. Entonces, turbado por la emoción, se probó la cota de malla para ver si le cabía. Estaba muy bien hecha y le iba a medida. Encima de la cota de malla se puso un tabardo marrón para esconder la armadura. Al fin y al cabo, su misión era secreta. Tom sonrió orgulloso al mirarse en el espejo. Estaba preparado para la aventura. Pero tuvo un momento de duda.

«¿Conseguiré terminar la misión cuando los caballeros más valientes de la tierra no han sido capaces?», se preguntó a sí mismo.

—Sí, lo conseguirás —dijo una cálida voz detrás de él.

Tom se dio la vuelta y se encontró con el brujo Aduro en la puerta. Llevaba una espada y un escudo grande de madera.

—Quizá pienses que no puedes llegar a ser un héroe. Pero en estos tiempos extraños, todo es posible.

—Supongo que sí —asintió Tom.

Aduro entró en la habitación. Lentamente, el muchacho se arrodilló delante de él, sobre el frío suelo de piedra. No sabía por qué lo había hecho, pero sentía que era lo correcto. Aduro alzó la espada y por un momento Tom hubiera jurado que resplandecía, iluminando el polvo que danzaba alrededor de él.

Aduro y él miraron la espada. El brujo dejó que la punta reposara en el pecho del muchacho, cerca del corazón.

—Que el chico sea fuerte de corazón para salvar Avantia —sonó la voz de Aduro por toda la habitación. Tom bajó la cabeza. El brujo retiró la espada y ayudó al muchacho a levantarse. Sonriendo, le ofreció el arma—. Para ti.

Tom cogió la espada. Su mano encajaba perfectamente con la empuñadura. La espada era mucho más ligera que el atizador con el que solía practicar.

—Perfecta —dijo.

Aduro le pasó el escudo de madera pulida. Estaba muy bien tallado, pero era muy sencillo. Tom recordó los escudos brillantes y coloridos que llevaban los caballeros que pasaban por Errinel de vez en cuando, y se sintió algo decepcionado.

—Las apariencias engañan. —Aduro sonrió al leerle el pensamiento—. En tu misión, encontrarás aliados en los lugares más extraños y de las formas más extrañas. Pero tienes una mente sabia, Tom. Confía en tu instinto. Ahora, tengo otros regalos para ti. —Sacó un pergamino del bolsillo. Era igual que el que tenía Edward la noche anterior.

Cuando Aduro lo empezó a desenrollar, Tom se dio cuenta de que era el mapa del reino. Tom se acercó para verlo mejor y ¡el mapa cobró vida! Los árboles y las colinas se alzaron en el papel, eran casi tan altas como su pulgar. Acercó la mano con cuidado para tocar una de las montañas del norte. El dedo se cubrió de escarcha.

Tom miró a Aduro confundido. El brujo asintió señalándole el mapa.

—Mira más de cerca —ordenó Aduro.

Entonces, Tom vio cómo se formaban unos caminos pequeños y sinuosos en el pálido pergamino. Lentamente, se fueron extendiendo por el mapa hacia la montaña grande que había en el oeste, oscura y hostil.

—La montaña del dragón —supuso Tom.

—Sí. —Aduro tenía en la mano la llave dorada que le habían enseñado a Tom la noche anterior. Había atado una tira de cuero al mango y se la puso a Tom en el cuello, como si fuera una medalla—. Sólo podremos poner fin al maleficio de Malvel si liberas a *Ferno*. Debes abrir el candado mágico que lo tiene prisionero.

—Haré todo lo que esté en mi mano —prometió Tom.

—Ahora debes partir —dijo Aduro, entregándole el mapa—. Tu caballo te espera.

Tom agarró la espada y el escudo, y siguió a Aduro hasta los establos, donde un mozo de cuadras sujetaba a un semental negro. Al ver a Aduro, el caballo lo saludó con un relincho, sacudiendo la cabeza. Tenía una marca blanca con forma de punta de flecha entre los ojos. El cuero de la silla de montar relucía de manera sorprendente.

—El nombre del semental es *Tormenta* —dijo Aduro—. Es joven y rápido.

Tormenta se alejó del mozo y fue trotando hasta donde estaban.

El caballo le dio un golpecito a Tom en el hombro con el hocico y lo miró.

Tom estaba radiante.

—Creo que nos vamos a llevar muy bien, *Tormenta* —dijo.

Aduro aguantó la espada y el escudo mientras el muchacho subía a lomos del caballo, y luego se los entregó. Tom lo miró.

—¿Qué pasará con mi pueblo, con mis tíos? Cuentan conmigo para que los ayude.

—Hemos enviado un carromato con agua y comida —contestó Aduro—. El cochero le dirá a tu tío que te han enviado a hacer un encargo especial para el Rey y que volverás cuando puedas.

Tom acarició el cuello del caballo.

—Gracias, Aduro, y ¡adiós!

—Buena suerte, joven amigo. Todas nuestras esperanzas están contigo.

Tom asintió y clavó los talones en los flancos de *Tormenta*. El caballo salió al paso, atravesó el patio del palacio y se adentró en las concurridas calles de la ciudad. Los cascos de *Tormenta* resonaban en los adoquines mientras esquivaba los puestos y las personas que había en las calles. Tom vio las puertas de la ciudad brillar a lo lejos. Su corazón latía de emoción. Pronto estaría solo.

—¡Más rápido, *Tormenta*! —ordenó.

Tormenta salió galopando por las puertas. Al llegar a las verdes praderas, Tom dio un grito de júbilo. ¡Estaba aquí! ¡Su aventura había comenzado!

Tormenta no sólo era el caballo más rápido que Tom había montado, sino que además parecía entenderle perfectamente. Se detenía al mínimo toque de las riendas y aceleraba el paso en cuanto Tom lo rozaba con los talones.

A media tarde ya habían llegado al borde de las verdes praderas. Un bosque inmenso se extendía ante ellos. Parecía oscuro, misterioso y, de alguna manera, prohibido, pero según el mapa, la forma más rápida de llegar a la cueva del dragón era a través del bosque.

—Vamos, *Tormenta* —dijo Tom, guiando al semental con cuidado entre los árboles—. Iremos por aquí.

El camino daba curvas en el bosque silencioso. Los árboles parecían ser cada

vez más anchos y estaban cada vez más juntos. El cielo estaba encapotado, y Tom sintió pánico al notar que árboles y arbustos parecían querer atraparlo. Las orejas de *Tormenta* se echaron hacia atrás, como si hubiera percibido la preocupación de Tom.

Siguieron avanzando hasta que llegaron a un pequeño claro donde parecía

que terminaba el camino. Tom desmontó. Desenvainó la espada y comenzó a cortar las ramas para abrirse paso entre la maleza.

De repente, oyó un crujido y se quedó quieto.

—¿Quién anda ahí? —preguntó.

No hubo respuesta.

Tom avanzó un poco más, cortando unas zarzas espesas. Su corazón se llenó de miedo. El bosque no le daba buena espina, y estaba seguro de que algo horrible los observaba. Pero con las riendas de *Tormenta* en la mano, siguió avanzando entre la maleza.

«¡Grrrr!»

Unos colmillos amarillos y brillantes aparecieron justo frente a su cara.

Tom saltó hacia atrás y gritó alarmado. ¡Un lobo! Tenía el pelaje gris y blanco, y sus salvajes ojos ámbar lo miraban fijamente. Sus inmensas patas eran

como grandes garrotes terminados en
unas garras letales. El lobo mostró los
dientes, se echó para atrás y se agachó,
¡listo para atacar!

CAPÍTULO 6

EL BOSQUE SINIESTRO

Tormenta se alzó sobre las patas traseras, dando patadas con los cascos delanteros. Tom se lanzó entre los arbustos que había a un lado del camino. Pero el lobo no los atacó, sino que se quedó gruñendo a algo que venía hacia ellos por la maleza.

De repente, aparecieron tres soldados. Sus ojos brillaban amenazadoramente a través de la abertura del casco. Uno llevaba una ballesta y los otros dos empuñaban unas espadas largas. El lobo avanzó hacia ellos y su gruñido se hizo más agresivo.

—¡Vamos a enseñarle a esa mocosa y a su sabandija que nadie roba a nuestro señor! —vociferó el primer soldado, apuntando con la ballesta a la cabeza del lobo.

—¡No! —Tom salió de su escondite justo cuando el soldado disparaba una flecha. Sin pensarlo, Tom lanzó su espada hacia la flecha, que salió dando vueltas por el aire y cortó la pequeña y pesada flecha por la mitad antes de clavarse en un árbol.

—¡Otro cazador furtivo! ¡Atrapadlo!

Uno de los soldados salió disparado hacia Tom con la espada en alto, pero el lobo se abalanzó contra las piernas del hombre y lo derribó. Los otros dos

soldados, furiosos, se lanzaron contra Tom.

Tom cogió las riendas de *Tormenta* y se subió rápidamente al lomo del caballo. Agachado en la silla, salió galopando hacia los hombres con el lobo rugiendo a su lado. Los soldados huyeron corriendo. Tom tiró de una de las riendas para que *Tormenta* diera la vuelta y desclavó su espada del árbol. Una vez más, arremetió contra los soldados y éstos escaparon por el bosque. El lobo echó a correr y rodeó los árboles hasta alcanzar un camino estrecho. Tom y *Tormenta* galoparon detrás de él.

El lobo se movía como el viento y sólo se detuvo cuando Tom y *Tormenta* quedaron lo suficientemente lejos de los soldados, fuera de peligro. Tom, aliviado, puso a *Tormenta* al trote.

El lobo se paró y de pronto, delante de él, una figura se deslizó desde los árboles hasta tierra firme. Era una niña.

Era alta y delgada, e iba vestida con harapos y una blusa sucia. Tenía el pelo negro, corto y despeinado, y la cara roja y llena de arañazos. Sujetaba un arco en una mano y llevaba unas flechas colgadas al hombro. Se agachó para saludar a su lobo, y sus ojos verdes se clavaron en Tom.

—No te preocupes, no voy a hacerte daño —le prometió éste mientras *Tormenta* se detenía—. Me llamo Tom —dijo mientras desmontaba—. No íbamos tras él. En realidad el lobo nos llevaba lejos de los soldados.

El lobo fue trotando hasta Tom y le puso el hocico en la mano.

La niña se tranquilizó y sonrió cálidamente.

—Bueno, parece que a *Plata* le gustas, y él es un buen juez. Si él confía en ti, yo también.

—¿De dónde lo has sacado? —preguntó Tom mientras *Plata* volvía hasta la niña y se sentaba a sus pies, alzando los ojos y mirándola con cariño.

—Lo encontré herido durante una cacería —contestó la niña—. Me ocupé de él hasta que se restableció y desde entonces somos amigos. —Dio un paso adelante y le estrechó la mano a Tom con firmeza—. Me llamo Elena.

—Ehhh... ¿qué haces aquí en el bosque? —preguntó Tom.

Elena frunció el ceño.

—Mi tío es pescador, *Plata* y yo queríamos probar suerte en el río, pero se ha secado y ahora estamos lejos de casa, sin nada que pescar ni que comer. —Suspiró—. *Plata* y yo hemos venido al bosque a cazar conejos, pero los soldados creen que vamos a cazar los ciervos del rey. Nos persiguieron y cada uno acabó por su lado.

Oyeron un crujido y un griterío repentinos detrás de ellos. *Tormenta* retrocedió y a *Plata* se le erizaron los pelos del lomo.

—¡Rápido! ¡Será mejor que salgamos de aquí! —dijo Tom—. Todavía nos siguen.

Puso el pie en el estribo y se subió al lomo de *Tormenta*. Al ver que Elena dudaba, la agarró de la mano y la ayudó a subirse al caballo.

Tormenta salió a todo galope. Corrieron por el bosque, con Elena agarrada a Tom y *Plata* dando saltos delante de ellos.

Por suerte, los soldados no eran tan rápidos como los cascos de *Tormenta*. Sus gritos pronto se perdieron en la distancia, y Tom pudo poner a *Tormenta* al paso.

—Creo que estamos a salvo —dijo al llegar a un pequeño claro.

Elena se bajó del caballo y levantó los ojos para mirar a Tom.

—Muy bien, quiero saber qué está pasando aquí —preguntó—. Llevas una cota de malla, pero eres demasiado joven para ser un caballero.

Tom dudó. Algo le decía que podía confiar en la niña, y Aduro le había dicho que se fiara de sus sentimientos. Sabía que su misión era secreta, pero seguramente le podría hablar a Elena de la Búsqueda de las Fieras.

—Las Fieras han vuelto —empezó a contar—. Me han elegido para que las libere de un hechizo.

—¿Tú? —dijo Elena—. ¡Pero si no eres más que un niño! —Clavó los ojos en Tom, que le devolvió la mirada impertérrito—. Pero ya veo por qué te han escogido... —añadió, y luego arqueó las cejas—. Siempre he pensado que las Fieras eran algo más que una leyenda...

—Lo son —le dijo Tom—. Y no te preocupes, ya te avisaré cuando hable en broma, ¿vale?

Elena lo miró con los ojos muy abiertos, llenos de expectación.

—Bueno, cuéntame lo de las Fieras.

—Se han vuelto malvadas. A *Ferno*, el Dragón de fuego, lo han hechizado...

—¿*Ferno*? —exclamó Elena.

—Está quemando todas las cosechas, y el río se ha secado. Si no lo detengo, Avantia caerá presa de la hambruna.

—Ya sabía yo que ninguna causa natural podía secar todo un río de la noche a la mañana... —murmuró Elena. Se mordió el labio y luego asintió como si hubiera tomado una decisión—. No puedo dejar que lo hagas tú solo. Creo que lo mejor será que vaya contigo.

Tom sonrió de oreja a oreja. Estaría encantado de tener un amigo a su lado cuando se enfrentara al Dragón de fuego, pero entonces recordó qué le ocurrió a Caldor.

—¡No puedes! —dijo—. ¡Es demasiado peligroso!

—No tan peligroso como intentar detener un dragón tú solito —contestó Elena. Avanzó un paso—. Nos has salvado de los soldados. Estamos en deuda contigo... —Dudó—. Hay en ti algo especial. Me gustaría ayudarte. Puedo ayudarte. Conozco muy bien esta parte del reino. Déjame ayudarte... Por favor.

Tom clavó la mirada en los ojos de Elena. Sabía que era sincera.

—Pero ¿qué va a pasar con tu familia? —le preguntó.

Elena se encogió de hombros.

—Mis padres murieron en un incendio hace años. Ahora cuidan de mí mi tío y su familia.

—¡Yo también vivo con mi tío y mi tía! —la interrumpió Tom.

Elena sonrió con timidez.

—No sé cómo es tu tío, pero no creo que el mío se dé cuenta si me ausento unos cuantos días.

Tom sintió lástima y se dio cuenta de lo afortunado que era. Pensó en Errinel, la seguridad de su casa y en su cama caliente. Entonces borró aquel pensamiento. Necesitaba permanecer fuerte para proseguir con la Búsqueda.

—¿Y bien? —dijo Elena—. ¿Puedo venir?

—¡Sí! —le dijo Tom—. Me encantará tener compañía.

Elena soltó un grito de satisfacción. *Plata* se puso a dar brincos alrededor de sus piernas, aullando presa de la emoción.

—Así pues, ¿dónde encontraremos a ese dragón? —preguntó mientras tranquilizaba al lobo.

Tom se tocó el bolsillo.

—Tengo un mapa —dijo sin alzar la voz—. La pregunta del millón es: ¿qué haremos cuando demos con él?

CAPÍTULO 7

EL AMANECER DEL DRAGÓN

Tom, Elena, *Plata* y *Tormenta* abandonaron el bosque al atardecer del primer día y ahora viajaban a través de un terreno rocoso. Llevaban dos días y dos noches haciendo camino sin descansar. Exhaustos, habían acampado la noche anterior. Todos habían dormido profundamente menos *Plata*, que permaneció alerta por si se acercaba algún peligro. Sin embargo, la mañana no había tardado en llegar y la hoguera que los había mantenido calientes durante la noche se estaba apagando. Tom abrió el mapa y lo estudió.

—¡Déjame verlo! —pidió Elena, arrodillándose al lado de Tom. Estaba fascinada con el mapa desde que Tom se lo había enseñado.

—Estamos muy cerca de la montaña de *Ferno* —explicó Tom—. Por aquí debería estar el río Sinuoso, pero yo no he visto nada.

Elena señaló a través de la neblina a una inmensa montaña de rocas que se extendía por el valle que quedaba a sus pies.

—A lo mejor alguien ha hecho una presa en el río con esas rocas.

Tom puso el dedo en el río que había en el mapa y, efectivamente, permaneció seco.

—Creo que tienes razón —dijo—. Ya hay suficiente luz para continuar.

El sol salió lentamente y la neblina empezó a aclararse. Miraron las tierras que tenían enfrente, las colinas lejanas y las montañas rocosas en la distancia. Tom notó un hormigueo en el pecho que se le extendió por todo el cuerpo. Allí adelante, en algún lugar, lo esperaban su destino y *Ferno*, el Dragón de fuego.

Algo más tarde alcanzaron la colina rocosa. Subieron hasta la cima de la colina y llegaron a una meseta. En esta parte plana del terreno, la niebla era más espesa. De pronto, *Tormenta* echó la cabeza hacia atrás y relinchó, y a *Plata* se le erizó el pelo del lomo en señal de alarma.

—¿Qué les pasa? —preguntó Elena nerviosamente.

—No lo sé. —Tom sacó la espada y el escudo de las alforjas y dio unos pasos hacia adelante, solo.

De repente, a través de la neblina, vio una figura ante él. Tom agarró la espada con más firmeza al notar un escalofrío. La figura, sin embargo, no se movió. Tranquilizándose, Tom se acercó un poco.

—Parece una roca grande inclinada —dijo—. Creo que es de pizarra.

—A los animales no les gusta —dijo Elena.

Tom estaba a punto de asentir cuando la llave que llevaba en el bolsillo empezó a tintinear. ¿Estaría reaccionando a algo que había cerca o Tom sólo se lo estaba imaginando?

—Iré a explorar —dijo dirigiéndose a Elena—. Aquí hay algo.

Elena sacó su arco y unas cuantas flechas de las alforjas de su carcaj.

—Voy contigo —dijo con firmeza. Tom sabía que no tendría sentido discutir con ella—. Ni se te ocurra dejarme atrás —le dijo ella mientras comprobaba la punta de la flecha con el pulgar.

—No me atrevería. —Tom le sonrió, contento de tenerla a su lado. Luego, volvió a dirigir la vista hacia la pendiente rocosa. Su sonrisa se desvaneció. Había llegado el momento.

Dejaron los animales allí mismo, y Tom y Elena subieron por la pendiente. Las piedras que parecían de pizarra eran negras y resbaladizas. Pero no eran como ninguna piedra que Tom hubiera visto antes. Entonces notó una leve vibración bajo los pies.

—Quédate quieta —le dijo a Elena—. Creo que está pasando algo.

Escucharon con atención, pero no oyeron nada. Sólo la vibración, que recorría las rocas que tenían bajo los pies, como el latido de un corazón.

Tom se agachó para observar de cerca las piedras. Brillaban como si fueran escamas oscuras.

¿Escamas?

—¡Retrocede! —gritó Tom—. ¡Vuelve con los animales a la colina de verdad!

Elena se quedó mirándolo.

—¿Qué quieres decir con la colina de verdad?

—Esto no es pizarra —gritó Tom agarrándola de la mano y tirando de ella—. ¡Es la piel de un dragón!

De repente, un rugido aterrorizador los rodeó, y el suelo de escamas se empezó a mover bajo sus pies. Elena y él se abalanzaron sobre el claro de hier-

ba donde *Tormenta* y *Plata* se movían ansiosamente. *Plata* aulló y *Tormenta* reculó.

Tom jamás había estado tan asustado en toda su vida.

—¿Qué vamos a hacer? —gritó Elena—. ¿Echamos a correr?

Agarrando la empuñadura de su espada Tom intentó pensar. Estaba en mitad de una búsqueda para el Rey... Ahora no podía echar a correr.

Pero antes de que Tom pudiera contestar, la bestia empezó a levantarse, cada vez más alto...

La inmensa figura del dragón se alzó ante ellos. *Ferno* abrió las alas como si fueran velas, tapando el cielo. Su cabeza puntiaguda era negra como el carbón, y alrededor del cuello llevaba el collar del maleficio, sujeto con un candado de oro, que brillaba con una luz mágica.

Tom se quedó boquiabierto. ¡Así que ésta era la Fiera! *Ferno* era tan grande como una montaña. ¿Qué posibilidad tenía un chico frente a una Fiera semejante?

Pero al mirar a Elena sujetando valientemente su arco y sus flechas y al recordar a sus amigos y a su familia en Errinel, supo que aunque tuviera muy pocas probabilidades de triunfar, tenía que intentarlo.

—Mientras me quede sangre en las venas —juró—, y por el Rey y por mi padre, seguiré hasta el final.

Decir aquellas palabras le infundió valor de inmediato. Tom clavó los ojos en el dragón mientras éste movía su inmensa cabeza de un lado para otro por encima de Tom y Elena.

—Tenemos que quitarle el collar —dijo Tom—. Eso es lo que lo controla y lo convierte en una Fiera malvada. Si lo lo-

gramos, *Ferno* volverá a proteger el reino en lugar de destruirlo.

Elena se acurrucó junto a *Plata* buscando consuelo.

—Pero ¿cómo le vamos a quitar el collar? —preguntó.

Lentamente, el dragón bajó la cabeza y olisqueó el aire. Tenías los ojos brillantes y de color rojo sangre. Su mirada aterradora cayó sobre ellos. Hipnotizado, Tom miró fijamente los ojos del dragón y se vio reflejado en sus inmensas pupilas.

Ferno estaba tan cerca que Tom notó el calor del aliento del dragón en su rostro. Los segundos se sucedían muy despacio hasta que Tom salió del trance. Tragando saliva, blandió su espada y presentó batalla.

Ferno fue más rápido. El dragón desenrolló su inmensa cola de varias puntas y la sacudió como si fuera un latigazo mortal. Pero antes de que llegara a golpear a Elena o a Tom, *Plata* salió disparado valientemente y clavó los dientes en la piel escamosa de la cola del dragón. *Ferno* lanzó un rugido y sacudió la cola en el aire con *Plata* aún aferrado a ella con los dientes. La cola del dragón pasó silbando por encima de las cabezas de Tom y de Elena. El lobo, arrojado como si de una piedra se tratara, se golpeó contra la ladera rocosa y se quedó allí tumbado e inmóvil.

—¡*Plata*! —gritó Elena, y fue hacia él rápidamente.

—¡No, Elena! —gritó Tom—. ¡No te muevas!

Pero *Ferno* ya había notado el brusco movimiento de Elena. Abrió sus inmensas fauces y soltó un rugido furioso. Echó la cabeza hacia atrás y se dispuso a atacar.

«¡*Ferno* va a atacar a Elena! —pensó Tom—. ¡Es imposible que salga con vida de ésta!»

CAPÍTULO 8

EL COMBATE FINAL

Tom se volvió y llamó a *Tormenta* con un silbido. El caballo negro salió galopando hacia él.

—¡Vamos, muchacho! —gritó Tom subiéndose a la montura—. ¡Tenemos que salvar a Elena!

Tom golpeó con los talones los costados de *Tormenta* y salieron a galope tendido por la ladera de la colina. Oyó cómo el dragón se preparaba para lanzar otro rugido.

—¡Elena, cuidado! —gritó Tom.

Elena se dio la vuelta y vio la boca abierta del dragón. Se quedó sin respiración, petrificada de miedo.

Mientras *Tormenta* pasaba al galope junto a Elena y *Plata*, Tom bajó de un salto del caballo, pero cayó mal. Sintió un agudo dolor recorriéndole el tobillo, pero no tenía tiempo que perder. Observó que en la ladera de la colina había un saliente rocoso, justo detrás de donde estaba Elena. Si consiguieran llegar hasta ahí...

Pero era demasiado tarde.

Ferno entrecerró los ojos llenos de furia. Lanzó un rugido aterrador y escupió una inmensa bola de fuego por la boca. Ignorando el dolor del tobillo, Tom se interpuso entre el dragón y Elena, y se cubrió a sí mismo y a la chica con el

escudo. La bola de fuego se estrelló contra el escudo de madera con tanta fuerza que Tom se tambaleó hacia atrás. El
fuego quemó el vello de los brazos de
Tom y el borde del escudo, pero éste los
protegió. Al tomar aire, el calor quemó

la garganta de Tom y vio cómo los ojos de Elena se llenaban de lágrimas, que trazaban regueros en su rostro manchado. Sin embargo, el escudo que Aduro le dio resistió... ¡estaban a salvo! El dragón se alejó, arrojando un último siseo frustrado por encima del hombro. Pero Tom sabía que el dragón volvería...

Desesperado, arrojó el escudo al suelo para apagar las llamas y sólo quedó un humo negro y espeso. El escudo de Tom estaba bastante quemado, pero por lo menos seguía de una pieza. Se lo echó a la espalda y ayudó a Elena a levantarse. Notó cómo temblaba.

—¿Estás bien?

Elena asintió despacio con los ojos abiertos como platos por la impresión.

—Creo que sí, gracias a ti y a *Tormenta* —dijo—, pero ¿qué va a pasar con *Plata*?

El lobo permanecía inconsciente en el suelo.

—No podemos ayudarlo hasta que detengamos al dragón —dijo Tom dulcemente—. Si esa Fiera nos abrasa, no quedará nadie para encargarse de *Plata*.

—Tienes razón —dijo Elena—, pero ¿cómo?

Tom llamó a *Tormenta* con un silbido. El caballo relinchó sonoramente, apareció a través de la cortina de humo y se paró junto a ellos.

—Buen chico, eres rapidísimo —le dijo Tom—. Pero ahora tienes que ser más rápido todavía —prosiguió, subiéndose al caballo. Luego se inclinó hacia el suelo y le dio su espada a Elena—. Protégete con esto.

—¿Qué vas a hacer? —preguntó Elena.

—¡Voy a liberar al dragón! —gritó Tom mientras se acomodaba el escudo en el brazo, listo para la batalla—. ¡De-séame suerte!

Pegó un gritó y clavó los talones en los costados de *Tormenta*.

El caballo salió disparado como una flecha hacia donde se había dirigido el dragón.

Poco después, apareció *Ferno* entre el humo y la neblina delante. Al oírlos, giró su inmensa cabeza hacia ellos y desplegando las alas se echó atrás y se dispuso a atacar.

Ahora o nunca. Intentando mantener el equilibrio y tratando de ignorar el do-lor agudo que sentía en el tobillo, Tom se agachó en la silla. El caballo iba di-recto hacia la gigantesca ala desplegada de la Fiera. *Tormenta* se agazapó y pasó galopando por debajo, y Tom se subió encima del ala de un salto. Era dura como una piedra, pero caliente como la sangre. El dragón empezó a agitar el ala

con movimientos cortos y bruscos. El ala se agitaba en el aire cada vez con más furia. Tom intentó mantenerse agarrado, pero empezó a resbalarse.

Entonces, con un silbido furioso, el dragón volvió la cabeza para inspeccionar de cerca al muchacho.

¡Ésta era su gran oportunidad! Tom se metió debajo de la barbilla escabrosa de la Fiera y se lanzó hasta el collar embrujado que llevaba éste en el cuello.

—¡Te tengo! —gritó, metiendo el brazo en el que llevaba el escudo por la argolla dorada del inmenso candado. Allí abajo estaba a salvo del fuego del dragón, pero éste no paraba de mover la cabeza de lado a lado, intentando lanzarlo al suelo.

Tom tuvo la impresión de que el brazo se le iba a salir del hombro, pero apretó los dientes y se agarró con fuerza. Con la mano que le quedaba libre, sacó la llave que llevaba colgada al cuello y la intentó meter en la cerradura, pero el movimiento constante del dragón lo hacía imposible. Intentó ganar equilibrio y logró introducir la punta de la llave mágica en el borde de la cerradura. ¡Casi lo había logrado!

Ferno rugía furioso. El sonido era ensordecedor. El dolor que Tom sentía en el brazo era insoportable y, de repente, notó que todo le empezaba a dar vueltas. Y en ese momento, se le escapó la llave de los dedos y se le cayó al suelo.

—¡No! —gritó. El dragón echó la cabeza hacia adelante y torció el cuello, pero Tom seguía agarrado. Había estado tan cerca, tan cerca del triunfo. ¿Cómo iba a recuperar la llave?

De pronto, en medio del humo, apareció Elena galopando a lomos de *Tormenta*. Todavía llevaba el arco y las flechas, y parecía estar dispuesta a usarlas. ¡Pero estaba apuntando hacia Tom!

—¡El escudo! —gritó—. ¡Tom, utiliza el escudo!

—¿Qué? ¿Qué haces? —gritó Tom confundido. Cambió la mano con la que estaba agarrado al cerrojo y levantó el escudo chamuscado justo cuando Elena disparó la flecha.

Sintió el golpe seco cuando la flecha se clavó en la madera quemada. Tom miró la parte de delante del escudo.

Allí estaba la llave. Elena la había encontrado y la había atado al extremo de la flecha. ¡Bien por Elena! Tom arrancó la flecha y la llave del escudo.

El dragón se echó hacia adelante y lanzó otra bola de fuego mortal a Elena, pero *Tormenta* fue más rápido. Salió como un rayo de la hierba quemada, alejándose del peligro. El dragón movió la cabeza enfurecido.

Tom notó que recuperaba las fuerzas. Ahora que volvía a tener la llave ¡todavía quedaban esperanzas!

El dragón permaneció inmóvil un instante. Rápidamente, Tom metió la llave en el candado y la hizo girar con un movimiento muy suave.

Durante un momento, el collar en-

cantado brilló con un tono azulado y después se desvaneció.

«¡Lo he conseguido! —pensó—. ¡Vaya si lo he conseguido!»

Entonces, en ese mismo instante, se dio cuenta de que ya no tenía nada de donde agarrarse salvo la llave. Soltó un grito y empezó a caer...

Pero de pronto, cuando estaba en el aire, la llave empezó a ascender tirando de él hacia arriba. Tom se sentía más ligero que el aire. ¡De alguna manera la llave estaba amortiguando su caída! Notó que una brisa se levantaba y lo arrastraba hasta donde estaban esperándolo Elena y *Tormenta*. Aterrizó suavemente a su lado.

—¡Bien! —gritó lleno de júbilo y emoción. *Ferno* por fin estaba libre, y Tom tuvo la sensación de que algo dentro de él también se había liberado. Sus constantes dudas, su miedo al fracaso, todo se había desvanecido. El dragón ya no amenazaría más el reino, y Tom, con la ayuda de sus nuevos amigos, había sido el que había conseguido que todo volviera a la normalidad.

—¡Tom, parecía que habías echado a volar! —exclamó Elena, devolviéndole la espada—. ¿Cómo lo has hecho?

—Ha sido la llave —admitió Tom con una sonrisa.

Entonces *Plata* apareció entre el humo y se acercó a ellos. ¡No le había sucedido nada!

Elena abrazó al lobo jadeante, pero seguía teniendo una mirada de preocupación en sus ojos verdes.

—¿Y qué pasa con *Ferno*?

Tom volvió la cara para mirar a la Fiera. *Ferno* caminaba agachado entre las colinas, con la mirada fija en ellos. Pero esta vez, Tom no le tenía miedo.

—Ahora eres libre —le dijo suavemente—. Eres libre para proteger nuestras tierras y a nuestro pueblo.

El Dragón de fuego agitó sus poderosas alas. Acercó su inmensa cabeza a Tom en señal de agradecimiento y echó a volar.

Tom y Elena observaron en silencio cómo *Ferno* bajaba en picado sobre el lecho seco del río y con un golpe de la cola derribó las rocas que hacían de presa. Las grandes piedras se desmoronaron y dieron paso a una gran ola de agua. El agua del río volvió a su lecho como cuando se libera a un animal enjaulado.

—¡Esto es sólo el principio, Malvel! —gritó Tom pegando un puñetazo en el aire—. ¡No descansaré hasta que todas las Fieras vuelvan a ser libres!

Elena y Tom vieron a *Ferno* beber agua del río. Luego, el dragón echó su puntiaguda cabeza hacia atrás, rugió y salió volando hacia el horizonte lejano, dejando tras de sí un arco iris de fuego por todo el cielo. El dragón descendió en picado sobre las cabezas de Tom y Elena y luego echó a volar hacia el horizonte mientras ambos vieron cómo se desvanecía en la lejanía.

Elena se giró hacia Tom.

—¿Cómo te sientes? —le preguntó.

Tom notó cómo sus ojos rebosaban felicidad.

—Como un héroe —contestó.

Tormenta relinchó y *Plata* aulló como si quisieran mostrar que estaban de acuerdo. Elena y Tom se echaron a reír.

—Ahora sólo queda una pregunta por responder: ¿y ahora qué? —dijo Tom.

CAPÍTULO 9

EL PRINCIPIO

—¿Qué es eso? —Elena señaló el bolsillo de Tom.

Algo brillaba dentro. Del bolsillo del pantalón de Tom salía una luz.

Tom metió la mano, sacó el mapa mágico y lo desenrolló. Una bocanada de humo salió del pergamino, justo en el lugar donde estaba marcado el palacio.

El humo se alzó ante ellos, brillando cada vez más.

Poco a poco empezó a cobrar forma y Tom no tardó en reconocer el perfil indefinido de un hombre. Dos puntos de una luz plateada relucieron en la nube de humo y tomaron fuerza, brillando alegremente, hasta que Tom se dio cuenta de lo que tenía delante.

—¡Aduro! —exclamó Tom, que había reconocido los ojos azules centelleantes del mago bueno. El resto de Aduro cobró forma en el humo.

—Buen trabajo, Tom —dijo el brujo—. Y tú también, Elena. El reino de Avantia está en gran deuda con vosotros.

—¿Cómo hace esto? —preguntó Tom—. ¿Cómo nos puede ver?

—¿Te acuerdas de la joya que llevo en el cuello? —dijo el brujo sonriendo—. Con ella puedo ver todo el reino.

—¿Entonces ha visto todo lo que ha pasado con el dragón? —preguntó Elena.

—Sí —dijo el brujo—. Y le he contado vuestro éxito al rey Hugo. ¡El palacio es una fiesta! Los dos habéis mostrado una gran valentía y determinación. Sois dos verdaderos héroes. ¿Estáis preparados para vuestra siguiente misión?

Un escalofrío de emoción le recorrió la espalda a Tom.

—Debemos liberar a las otras Fieras —dijo, emocionado y nervioso al mismo tiempo.

Aduro asintió.

—Pero primero, Tom, te espera un regalo.

—¿Un regalo? ¿Dónde? —preguntó Elena.

Tom movió la cabeza confundido. Entonces vio algo que brillaba en una rama quemada de un árbol que había cerca. Miró a Aduro con una pregunta sin formular en los ojos. Aduro asintió de nuevo y Tom corrió hacia el árbol, trepando para recoger lo que fuera que estuviera atrapado entre sus ramas.

Era una escama de dragón, negra y roja.

—¡Es bonita! —murmuró mientras

regresaba a tierra firme—. ¡Menudo recuerdo!

—Es más que eso —dijo Aduro—. Te la has ganado al salir victorioso de la batalla contra *Ferno*. Ahora, si la pones en tu escudo, detectará cualquier tipo de calor.

Elena señaló una hendidura quemada que había en la parte inferior del escudo. Cuando Tom acercó la mano, la hendidura se abrió. Tom colocó la escama en su sitio como si fuera una pieza de un rompecabezas. El escudo brilló como si fuera un rubí rojo, y la madera que rodeaba la escama se cerró, dejando que brillara como si fuera una joya tocada por la luz.

—No hay tiempo que perder —dijo Aduro—. ¡Debéis seguir el camino que marca el mapa hasta la siguiente Búsqueda de la Fiera!

Tom y Elena observaron el mapa. Un

camino verde que serpenteaba hasta el Océano Oeste se empezaba a dibujar en el pergamino.

—¿Qué va a pasar con nuestras familias? —preguntó Tom—. ¿Podemos mandarles un mensaje?

—Me aseguraré de que vuestras familias no sufran por vosotros —prometió el brujo—. Pero los secretos de vuestra misión no deben ser revelados a nadie.

—Lo entendemos —respondió Elena.

Tom pensó en sus tíos y en su padre, Taladón *el Rápido*. No toda su familia lo sabía. Tom había abandonado el pueblo de Errinel. Su padre no lo sabía... dondequiera que estuviera.

—Ahora debo dejaros —dijo Aduro. Su imagen empezó a desvanecerse como el humo en la brisa—. Buena suerte, amigos míos.

—Espere —dijo Tom con urgencia—.

¿Y qué es de mi padre? ¿Sabré algún día qué le ha pasado?

—Vas a aprender muchas cosas con esta misión, Tom —contestó el brujo, con sus palabras haciendo eco en el aire—. Adiós...

La imagen de Aduro se desvaneció y todo lo que quedó fue un brillo donde antes habían estado los ojos del brujo.

Tom volvió a mirar el mapa. El camino verde llegaba hasta la imagen de una serpiente marina, que se erguía en el agua y salpicaba con la cola.

De repente sintió que la sangre se le helaba y que su mente se oscurecía. Se imaginó a sí mismo luchando en las negras aguas espumosas contra un enemigo gigantesco. Casi podía sentir aquellos inmensos colmillos clavándose en su cuerpo y aquellos ojos malvados mirando fijamente dentro de su alma.

Sacudió la cabeza y sus dudas se disiparon.

Subió a lomos de *Tormenta*. Aduro tenía razón, no había tiempo que perder. Tenía que liberar otra Fiera de la maldición de Malvel.

Elena se montó detrás de él y *Plata* echó a trotar junto al caballo, ambos ansiosos por ponerse en marcha.

Tom desenvainó y alzó su espada, señalando al cielo con la punta del arma.

—¡Adelante! —gritó.

Luego volvió a guardar la espada, clavó los talones en los costados de *Tormenta* y el caballo saltó hacia adelante. Tom y Elena emprendieron el camino hacia la siguiente Búsqueda. Tom ignoraba qué le esperaba.

Pero sabía que estaba preparado.